CONTENTS

KOU URAKI

MOBILE SUIT
GUNDAM
0083
REBELLION

나츠모토 마사토(夏元雅人)
원작 야다테 하지메(矢立肇)
토미노 요시유키(富野由悠季)
협력 선라이즈
콘셉트 어드바이저 이마니시 타카시(今西隆志)

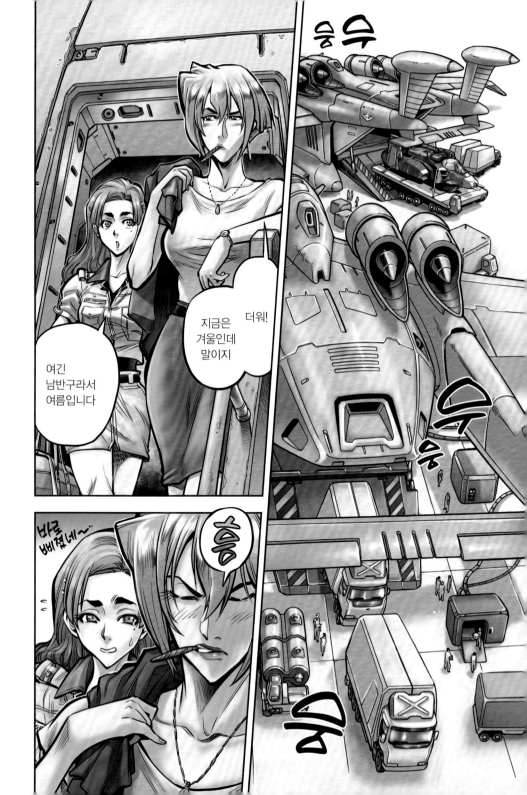

앨리스 밀러 소령이다

귀관들은 어젯밤 작전의 생환자인가?

코우 우라키 소위입니다

테스트 파일럿인 척 키스 소위입니다

예?

나중에 전투 상황을 들려줄 수 있겠지?

그게 내 일이거든

저 사람
——…

아마도
내무감사부나
정보부
어쩌구겠지

뭐?!

안 좋은데….
네가 1호기를
무단 사용한 건에
관한 일 아닐까?

삐

삐
삐

딸
깍

PILOT'1DATA

이건——…

사우스
버닝입니다,
들어가겠습니다

음!

8

원래는
침대에 눕지 않으면
안 될 부상 아니었나?
버닝 대위

아뇨!
대단한 상처는
아닙니다.
시나푸스
대령님

푹 잘 수
있는 상황도
아니고요

미안하이

정보부 소속
앨리스 밀러
소령이다

9

허어…

정보부 입니까…

나중에 자네 부하들한테도 질문을 좀 할 수 있을까?

어젯밤 추격전의 보고서는 읽어봤지

처음부터 주시하고 있었다는 것을 미리 알려드립니다

이번 건에 관해 정보부는

처음부터 ——…?

코웬 중장이 아나하임 사와 극비리에 세운 프로젝트

'건담 개발 계획'이 개시된 때 부터입니다

지온이라 주장하는 자들에게 통째로 탈취 당했습니다

그리고 핵탄두를 보관고에서 꺼내 MS에 탑재한 직후

너무나도 훌륭한 솜씨로————… 말이죠

이 함에 지온 앞잡이가 있기라도?

무슨 말을 하고 싶은 건가?!

그 부분에 관해서도 앞으로 조사하게 되겠지만

현재로선 지온 잔당한테 넘어간 무기의 위협에 관해

상세히 보고할 임무를 맡아 이곳에 왔습니다

음…

시나푸스 대령님께서도 이해하고 계시겠지만

지온 잔당에 건네준 핵탄두 한 발과 그것을 운용하기 위한 신형 MS의 존재…

이는 위협이라 할 수밖에 없겠죠

내 부하를 의심하는 것이라면 어젯밤 그 특무부대는 어찌된 건가?!

너무나도 재빠른 대응이었다고 생각하지 않나!

사전에 정보를 갖고 있었다…고 할 수 있을지도 모르지만

?

그 부분은 연방도 다들 같은 생각이 아니라서 그런 것 아닐까요?

상층부에선 코웬 중장의 움직임을 그다지 유쾌하게 생각지 않는 자도 있다

파벌 싸움 이로군!

쓸데 없는 짓들을!

─... 그런 뜻입니다

괜찮을 입장입니까?

제가 이 자리에서 이야기를 듣고 있어도

저…

알비온은 이제부터 2호기 및 핵탄두 탈환을 위해 출격한다

아아, 미안하네. 이야기 순서가 바뀌었군

그래서 자네가 추격 부대의 중대장으로 지휘를 맡아주었으면 하네

네?

자네는
충분한 경험도
능력도 있다고
확신하고 있네

MS에 관해서는
전부 일임한다

소대를 이룰
파일럿은
어떻게
합니까?

아니…
그렇지만

파일럿
보충 요원도
요청해 놓긴
했지만

적을 추격해야
하는데 지체할 순
없지 않은가!

자네 부하들도
함께 알비온으로
전속시키면 어떨까?

14

부하들에게
이야기해
보겠습니다…

……

생존자를 우선해라!

탱커를 빨리!

15

운이 나빴으면
입장이
뒤바뀌었을
수도…

안 그런가
커크스

저…
앨런 중위님

커크스의
사물을
정리하러
왔습니다

우라키인가.
뭔가?

전속 이야기
———…
넌 받아들일 거냐?

버닝
대위님한테서
들었나?

우라키
———…

16

추격 부대
전속 말이죠?
받아들이겠습니다!

군인이니깐!

1호기에서
못 내립니다!

그렇기에…

어이
코우!

대위님이
알비온의
브리핑 룸으로
바로 모이래

아아!
알았다

……

얼레?
중위님?

저…저기
앨런 중위님도
부르셨습니다…

아무 것도…

아니야

중위하고 뭔 일 있었어?

멋진 솜씨였다. 가토 소령

드라이제 함장님. 여러모로 애써 주신 배려에 감사드립니다

코무사이를
이용하는
탈출 계획이
실패한
현재로선

아니
잠시만!

어찌
할 건가
소령?

당초 예정대로
다음 플랜으로
이행해야—…

자부로에다
한 방
먹이는 건?

이대로
남미로 향해서
빼앗은 핵탄두로
연방의 핵심지

그러기 위해
델라즈 각하께서
입안하신
작전이…

스페이스
노이드의
진정한
해방이야말로
이 작전의
대의!

심정이야
이해
합니다만

그래서는
아무것도
바뀌지는
않겠죠

그것이 기만일 수도 있다는 것도 충분히 생각할 만하지 않은가?

확실히 적 잠수함 최종 확인 좌표의 진로 예측은

아프리카 방면 이었지만

아프리카로 향할 것이라 추측할 수 있습니다

그렇다면 아직도 지온 잔당이 많이 잠복한

적은 아직 우주로 탈출할 생각을 포기하지는 않았을 겁니다!

적의 용의주도함과 2호기 및 핵탄두에 대한 집착을 보면

아나벨 가토란 자의 말을 듣고

제 나름대로 이해한 끝에 내린 판단입니다!

자부로에 공격을 가하지는 않을 거라?

요컨대 우주 탈출을 저지당했다고 마구잡이로 방향을 돌려

하지만 적이
연방 기체에 타고
있었다고는 해도

전장에서
그 정도까지
지껄여대는 것도
참 드문데 말이지

자네가…
1호기의
우라키
소위인가?

놈하고
대화를
많이 나눈
사람은
자네였을 텐데

저…

가토의
행동 예측은
나온 겁니까?

그럼 거꾸로
답을 좀 해주지
않을래?

놈과 대치했을 때
놈한테서
무엇을 느꼈지?

저희는
추격합니까?

26

같은 것을
느꼈습니다

강한 신념
——…

……

모르…겠
습니다

그건
어째서지?

전투 중에
자네는 집요하게
가토를 의식하고
있었던 것처럼
보였는데

그건…
모르겠
습니다

그러니까
그것이
가토의
강함이다?

분명
통신 이외에도
가토와 직접 보면서
대화를 했다는
보고도 있었는데

인상이라
해도…

그때 느낀
인상을
들려줘

벌떡

앗!

그렇군. 이제 납득이 가네

요컨대 자네는 파일럿으로서 질투한 거야

그래도 그건 제 오해였고 놈은 적이었————…

그건…… 그러니까……

그 아나벨 가토를

내가 가토를————…

질투————…

29

난 이상으로 끝이야

브리핑을 계속해. 버닝 대위

옛!

네 녀석들의 전속은 조금 전에 수리되었다

이제부터 2호기 탈환 임무를 맡는다!

저벅

저벅

그리고
1호기의 파일럿
건인데…

계속해서
우라키 소위에게
맡기기로 한다!

자
진정하고!

납득
안 갑니다!

이건 적성
테스트와 실전의
퍼스널 데이터를

실력과
경험으로는
제가
적임자일 텐데
말입니다!

해석한 결과에
따른 판단이다

……

무슨 일이야 니나?

건담은 아직 제가 필요하고요!

전 알비온에 남습니다!

민간인은 빨랑 함에서 내려요

이제 곧 이 함은 출격할 텐데

이제부터 갈 곳은 전쟁터야

당신 뭔가 착각하고 있는 것 아냐?

덩치가…

당신이로군 ——!

정보부 소속 기술감사관이 온다고 들었는데…

착각 이라니 뭐가!

정보부
——?

타냐
체르모샨
스카야
중위다

발음이
어렵지

타냐라고
해도 돼

……

정보부가
대체 뭘
캐내려
하는 거지?

'모든 것'을——…
이려나

함장
시나푸스다

알비온의
모든 승무원에
알린다!

MOBILE SUIT
GUNDAM
0083
REBELLION

MOBILE SUIT
GUNDAM
0083
REBELLION

호오…

인도양 방면군
제203
전략해양부대 소속
'크라켄 부대'
대장

개리 로지
소위입니다

U—801 함장
드라이제다

지원 요청에
응해준 것에
감사한다

옛!

연방의
악한 이념을
형상화한 MS다

남극 조약을
무시하고
핵탄두
운용을 위해
개발한 기체

격납고에서 본
기체가 그…

당신이
가토
소령이시군요

하지만
꽤나 한 가닥 하게
생긴 놈이라고
느꼈습니다

음!

같은
MS 파일럿으로서
만나뵙게 되어
영광입니다

아프리카
입니까

가혹한
항해네…

우리 함은
이대로
인도양을 지나

아프리카로
직진한다

감사합니다.
이젠 정규 보급은
얻을 수 없어서

요청이 있었던
탄약 등의
제공은
가능하다

유지하는 것도
고생하고
있었습니다

여기도
여유가 있는 편은
아니지만
어떻게든
해 보지

보급을 위해
부상은
20분만 한다

지난 대전에서
파괴했던
연방의
군용 위성도

요 3년 간
거의 회복된 듯하고
말이지
포착당하고
싶진 않아

MA의 파일럿──…

치고는 어린데

여동생?!

아직 미성년자 아닌가?!

지금은 파일럿도 부족하니까요…

클라라 로지 중사── …제 누이동생 입니다

아뇨, 쟤는 종전 임박해서 학도 동원병으로 군에 들어왔습니다

지상 잔존병 회수부대로 지구에 강하했고 그대로 종전

우주로 돌아가지 못하고… 라기 보다는

오라비인 저를 찾는다고 군에서 나가질 않았던 것 같습니다

내가
할 말은
아니지만

어째서
연방에 투항하지
않았나?

둘 이외엔
기댈 곳이
없었으니까

원래
마할에서 고아였던
저희 오누이는

하지만…

어느샌가
물러설래야
설 수 없는
무언가를 짊어지고
있었습니다

그것만이
목적이었는데…

저로서는
전과를 올려서
지온 시민권을
따는 것

함장님!
작업
종료했습니다!

그리고
군인인 이상
군무를 수행할
뿐이다

그만 하지
소령!

다들
각자 싸우는 이유는
있는 걸세

좋아!
잠항
준비!!

옛!

준비는
됐나?

클라라!
도니노!

눈물 짜내는
이야기
말이죠

대장님
이야기는
너무
구립니다요

아까
제 이야기
하고 있었죠

오라버니
——...

오랜만에
탄약으로
배도 빵빵해졌고!

뭐,
아무렴 어때

포인트
302―44
―…

소노부이
투하!

우라키 소위
가이드 비콘을
따라
착함하십시오

로저!

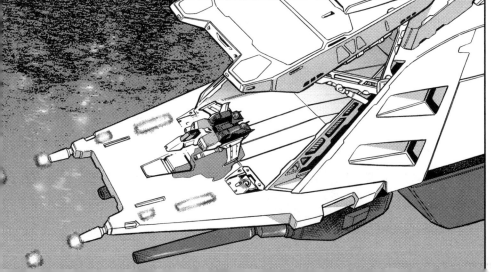

이러니 저러니 해도 '건담' 파일럿 이니 말이지

사관학교에서 조종 공부는 제대로 하고 왔을 거 아냐?

빨리 이놈을 끌어내!

내 기체를 꺼내라

……

앨런 중위 —… 좀 변했네

58

키스!
빨리 해라!

네
넷!

그야
그렇지

설마?!

우리 회사가
이렇게 투박한 걸
만들 리 없어요!

이것도
아나하임에서
설계한 건가?

복좌식
중(重)전폭기
G 파이터 II…

발함이야!
덱에서 물러나!

흥

전장을 모르는
민간 기업은
만들지 못할테니

걱정 마라.
난 원래
전투기 파일럿이야

아무쪼록
잘 부탁드립니다
앨런 중위님

앨런!
키스!
당하지 마라

제 실력을
보여드리겠
습니다.
버닝 대위님!

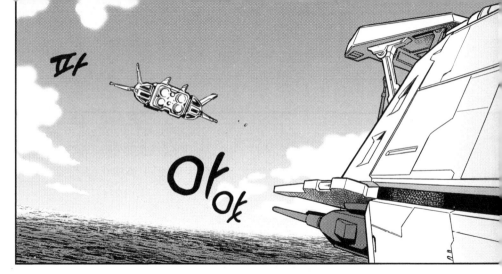

키스──···

우라키
소오위이!

그쪽도
G 파츠 매뉴얼을
눈에 익혀 놓을 것!

앗
예!

64

아…
저기

어째서입니까?
중위님

타냐라고
불러줄래?

나도
코우라고
부르고
싶으니까

기술사관
이라고는 해도
일단 상관이니까

명령이라 하면
되겠지만

우라키
소위!

같이
건담 시스템
체크하기로
약속하지
않았나요?

넷!

하아…

명령이 아니라도
매뉴얼은
읽고 싶습니다

가죠, 우라키 소위

말하는 도중에 이러기 없거든?!

......

쫑—!

소노부이 27발째!

반응은——...

초조해 하지 마 키스!

이렇게나 넓은 범위에 그물을 펼쳐 놓았으니 반드시 잡히게 되어 있어

없습니다 ——...

휘

앙...

앙

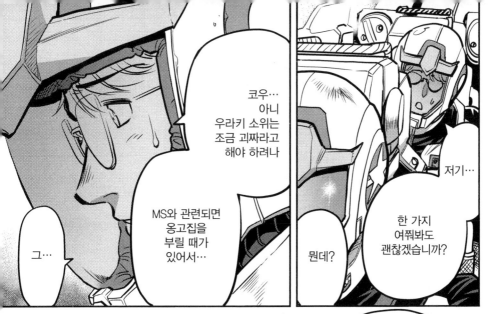

코우…
아니
우라키 소위는
조금 괴짜라고
해야 하려나

MS와 관련되면
옹고집을
부릴 때가
있어서…

그…

저기…

한 가지
여쭤봐도
괜찮겠습니까?

뭔데?

중위님은
우라키를
어떻게 보십니까?

…

…

중위님?!

크……
크크큭

하하하핫!

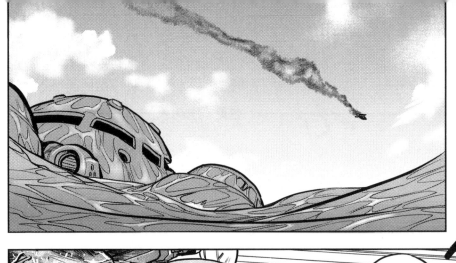

키스!
불을 꺼

하고
있습니다!

이놈을
어떻게 잡아야
할지…

적 잠수함의
소재를 확인할 수
있었던 건 좋지만

앨런 기
피탄!

좌현 덱으로
유도하겠습니다

우웅

제15화 「인도양, 추격전」

수중
장비의
최종 체크
서둘러!

G 파츠와의
도킹 래치
점검을
대충 하면
안 돼!

PARTS
A
B PARTS
GP-01

시제 1호기가 범용형 MS라곤 하지만

바닷속에서 기동 전투 같은 걸 할 수 있는 건가? 우라키 소위

수중 장비 시스템 설명은 받았습니다

문제 없다고 생각합니다

MS 운용은 부대장인 자네에게 일임하고 있다. 어떤가?

버닝 대위!

아직 신참인 우라키에겐 가혹하겠지만

작전 지휘는 제가 맡습니다

2호기를 탈환할 기회를 놓칠 순 없습니다

진로 그대로 유지!

전투 속도 유지!

가토 소령은 그대로 MS 안에서 대기하고 있으면 되네!

그리 간단히 가라앉게는 안 해!

드라이제 함장님! 격납고 해치를 열어 주십시오

이대로 가라앉을 수는——…

하지만——…!

소령과 MS를
반드시 아프리카
땅에 닿게
해주겠다고 했지

바다의 일은
우리한테
맡겨 주게

G 아머 II
좌현 덱에서
발진!

우라키
소위──···

건담과 함께
꼭 돌아와야 해

화물이 된
기분은
어때?

우라키
소위

흥

쾌적…까진
아니지만

문제
없습니다

속 편한
놈이네

우리가 찾아낸
사냥감이다.
새치기 당하게 놔둘까!

앨런 중위님!
이미 다른 부대가
적 잠수함에 공격을
개시하고 있는 것
같습니다

상공에서
우라키를
지원한다

1호기를
분리하고

자넨
적 잠수함을
확인한 후에

앨런!
작전에
집중해라

2호기까지
파괴할
가능성이…

그렇지만
2호기가 아직
잠수함 내에
격납된 채라면

그리고
어뢰를
발사하고
즉시
이탈하라!

우라키!
넌 착수 후에
적 잠수함을
포착

알고
있습니다

1호기를 수중 장비로 장비 교체했다곤 해도

신참인 네가 수중 사양인 적 MS를 상대로 얼마나 싸울 수 있지?

일격 이탈이다!

복창해! 우라키!

일격——…

이탈 합니다

타박

타박

부득이한 손실도 어쩔 수 없나

장비의 보충 설명 괜찮겠습니까?

작전 종료 후에 2호기를 회수할 수 있다면 좋겠지만

적이 쓰는 것보다는…

말이죠

시제 병기라고 했죠!

쓸 수 없는 무기라니 난센스로군요

한 발조차 제대로 쓸 수 없어

현재의 1호기로는 제너레이터 출력이 부족해

게다가 이번에는 수중 전투니까 빔 병기는 필요 없겠죠

G 파이터 Ⅱ 사용 시에도 발사마다 몇 초 이상의 간격이 필요합니다

그 라이플은 제너레이터에서 내장 콘덴서로 연결해 차징하는 타입이라

요약하자면 시제 병기 운용 테스트를 실전에서 하라는 건가

우리에겐
2호기를 빼앗긴
실수의 책임이
지워져 있는
것이로군

실험용
모르모트로
말이지…

않습니다

그렇지…

휘

웅

우주와 같다는 생각 안 드나?

네? 뭐가 말입니까?

이 바다 말이지! 여기에는 우주와 똑같은 자유가 있다

설령 이 벽 바깥에는 인간이 살 수 없는 공간이 존재하더라도

그 극한을 극복했을 때야말로 스페이스노이드는 '자유로운 인간'이 되는 것이다

얕보지
말라고!

출격!

콰 아

대단해
——…

2기를
한 번에
——…

어떠냐!
봤나!

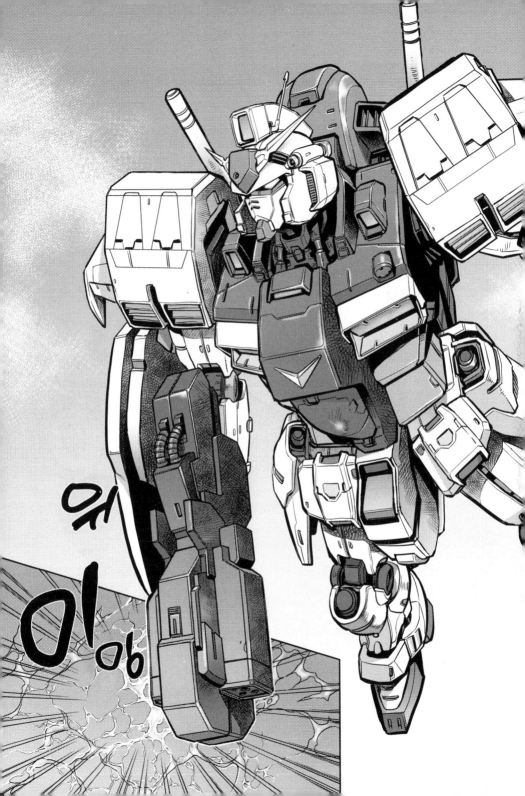

자세 제어!
밸런서를
조정!

레이더에 반응!
함선 확인
──…

이건
──…

**민간선
입니다!**

하필
전장으로
끼어들다니

운 나쁜
녀석일세

지온 MS 1기가
민간선에 접근 중!

앗!

빠

빠

큐오오

칭

구해줄
의리는
없지만…

아뇨!
표적은
그대로 잠항!

맞췄나?!

그래도
민간선은
무사합니다

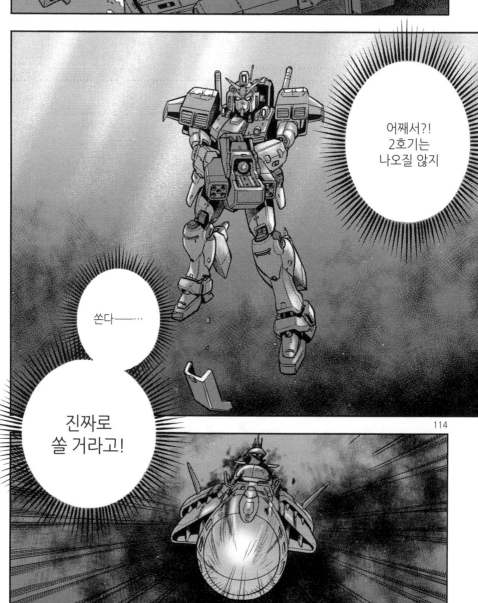

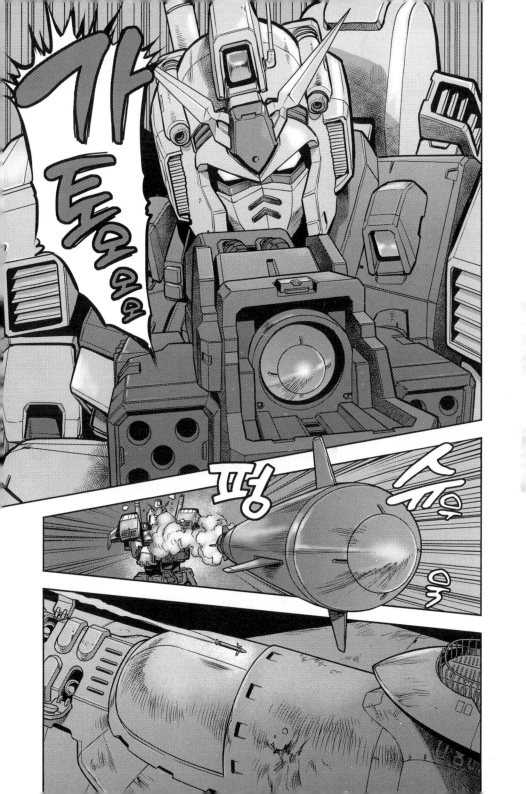

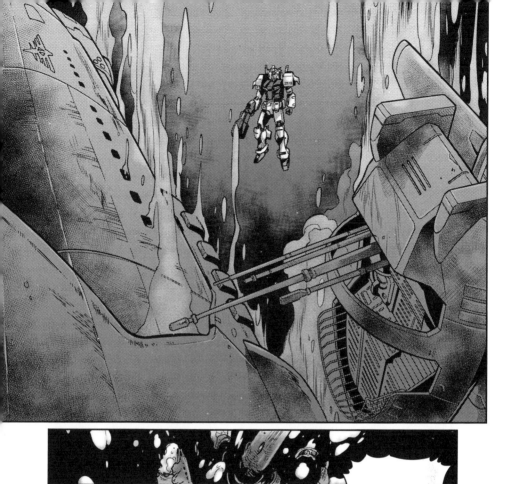

왜냐——…?!

가토!

MOBILE SUIT
GUNDAM
0083
REBELLION

MOBILE SUIT
GUNDAM
0083
REBELLION

제16화 「맡겨진 잔향」

즉
시제 2호기는
핵탄두째로

격침된
잠수함과 함께
바닷속에
가라앉았다는
것이로군

핵탄두를
적이 사용 못하게
막은 것만으로도
다행이라고
여겨야겠지

회수 부대의
발견 보고가
아직이라
확증은 없지만

상황으로부터
판단하면
아마도…

2호기를
잃은 것은
뼈아프지만

저…

1호기
파일럿이었지

귀관은
분명…

우라키
소위
——…!

옛

코우 우라키
소위입니다

죄…
죄송합니다
너무 주제넘은
발언을——…

124

그 가토가
그렇게 쉽사리
당하리라고는

도저히
생각할 수
없습니다!

예…

상관
없다

그 현장에
있었으니
그리
생각하는 건가?

하지만
상황 보고를
듣기로는

2호기가
잠수함에서
멀어진 흔적은
확인되지
않았다는 것
같은데?

예—…

……

일단은
회수 부대의
보고를
기다릴 수밖에
없군

가토 일은
이제 잊자고

있잖아
코우!

……

여기 더번 군항에서 출항하면 최초 예정대로 테스트 파일럿 임무로 돌아가잖아

그야 2호기를 되찾지는 못했지만

간만에 좀 쉬자!

이렇게 반현 상륙 허가도 나왔고 말이지

삐!

지잉

배의 승무원을 반으로 나눠서 교대로 쉬게 해주는 것이래

반현 상륙 이란 거?

군대란 건 귀찮은 것 투성이네

네?

잠깐
괜찮을까

우라키
소──…

당신네
아나하임
엔지니어들한테도

협력을 좀
부탁할까?

일 때문에
보고서를 써야만
해서 말이지

묻고 싶은 건
당신네들
각 개인에 관한
이야기거든

그건 관계
없지만…

기술 정보에
관한 자료는
건네드렸습니다

127

그건 강탈 사건과 관련하여…

그렇게 적대시하지 않아도 돼

잠깐 이야기하고 싶은 것 뿐이야

아나하임 사원을 의심하고 있다는 겁니까?

자네들이 함에 돌아오는 대로 시작할까

알비온에 빈 개인실을 빌려 놓았다

아…
저기
시간도 다
된 것 같고

잠깐
시내 관광 좀
하고 싶은데

다들
괜찮아!

그냥
말로만
겁주는 거니까

다들
그에 맞춰
행동해 주세요.

그렇네요.
그래도 저녁에는
1호기의 메인터넌스를
시작하니까

ENCRYPTION
CALL

보고해
——…

밀러
소령님이
보신 대로
입니다

전투 구역에
휘말렸던
민간선은
지온의 위장선
이었습니다

배의
항선지는
파악했나?

모가디슈라는
항구에서
찾았습니다

항만
관계자
말로는
이틀 전에
입항

그때
80톤급 화물을
내렸다는 것
같습니다

알았다!
계속해서
화물을 실은
트레일러의
추적과

로저!

도망친
선원 확보에
임하라!

2호기는
이 아프리카로
상륙한 건가…

당연하지

추적 같은 건 없는 거겠지!

네 쪽이야말로 임무는 잘 수행한 거야?

물론이지!

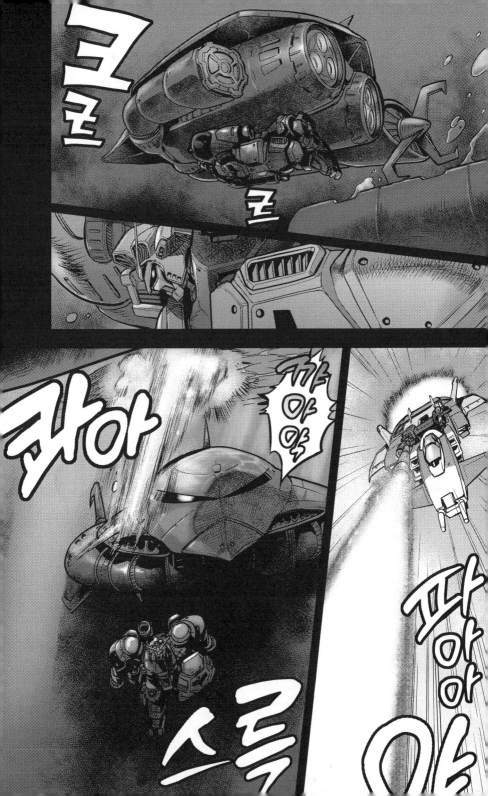

이대로
전투를 계속해도
전황이야
점점 악화될 건
뻔하지

하지만
모처럼 맡은
릴레이 바톤이다

'별가루 작전'
이란 것의
끝을 볼 때까진
계속해 보자고

오랜만의
휴식인데
왜 여기로
돌아온 거냐고

거리에서
식사는
했잖아

딱히
할 것도
없으니
됐지

코우?!

갈색 미녀의 유혹을 거절하면서까지 와야 할 장소가 어째서 MS 덱이냐고?!

할 게 없을 리가 있냐!

너도 참 병이다 병!

니나도 좀 쉬러 나간 거 아녔어?

조금 신경 쓰이는 것이 있어서

응?

어머나?

앗!

……

화려한
가게를
찾아났거든요

이제부터
함께 거리로
나서보지
않겠습니까?

저…
타냐
중위님

좀 더 흥미를
끌 만한 꼬시기용
대사나 생각하라고

얼굴 좀
잘난 척하면서
상관을 꼬시고
싶다면 말이지
소위

…

더 잘 이해하고 있는 거라고!

병기의 좋고 나쁨은 실제로 사용하는 병사들 쪽이

그렇지 코우!

아… 네

좋은 기체라고 했잖아, 우라키 소위!

네, 넷!

착하지, 착하지

……

뭔가?
정색을
하고선

그래서?
할 이야기가
뭐지?
앨런

하아…
실은
저…

저는
——…

군을
그만 둘까…

합니다

앨런
——…

괜찮아! 아무한테도 말 안 했지!

알았다…. 합류 장소를 지시해 줘

찰칵 찰칵

신병 확보한다

로저!

휴우…

MOBILE SUIT
GUNDAM
0083
REBELLION

MOBILE SUIT
GUNDAM
0083
REBELLION

가토
대장님!

어찌된
일입니까
?!

좀 전에
철수 신호를
확인했습니다

카리
우스!

우측 포위가
허술해졌다!
단숨에 뚫어
무너뜨린다!

철수라니
있을 수
없어!

말도 안 되는
소리를!
충분히
버텨내고
있다!

크흑!

통합
사령부와의
회선도
어지럽습니다

무슨 일이
있었다고밖에
생각할 수
없습니다

이건가
———....

철수
명령이
내려졌
습니다!

대위님!
안 됩니다!

잠깐!
가토!

그 전장에서
델라즈 각하께서
이 목숨…
건져 주셨습니다

그거 다행일세.
간직했던
최후의
한 병이거든

보급도 제대로
되지 않는
상황에서
어떻게든
꾸려 왔지

……

맛있
습니다!

꿀떡!

요 3년 간…
많은 부하를
잃었네…

덕분에
탈취한 건담을
우주로 올려 보낼 수
있습니다

MS도
남은 건
10기 정도…

크게
도움이 될 걸세
가토 소령!

이 기지는
다이아몬드
광산터를
이용했기에

세우는 데
그다지
고생한 건
아닐세

HLV 최후의 1기를
온존시켜 놓았던
보람이 있었다는 게야

각하…

이렇게까지 해주시는데도 ——…

제 행동을 말씀 드리질 못하고—…

그게 작전이란 것일세!

발사는 내일 정오로 정해졌네

궤도 계산 결과에 따라

발사할 때까지 잠시 시간을 기다릴 뿐이지

남은 것은 회수 함대 포인트로 HLV가 도달할 수 있도록

모든 것은
새로운
지온을 위해

'별가루
작전'의
성취를 비네!

지온
중흥을 위해
기필코!

RGM—79N
'짐 커스텀'
하고

RGC—83
'짐 캐논 II'가
배치되는 건가

추격 임무는
끝났을 텐데…

왜
MS 반입 같은 걸
하는 거지?

2호기
탈환을 위해
요청했던
추가 전력이다

이 타이밍에
MS를
추가합니까?

헛수고가
된 것 같지만
말이지

응?

오홋

우린
버닝 중위
있는 곳으로
가고 싶은데
말이지

길을
잃어서
곤란했거든

네?

하아~~이
아가씨!

잠깐
괜찮을까?

저…

버닝…
대위님
말입니까?

아마도
브리지에
계실 겁니다

댁처럼 미인이
안내해주면
최고이겠는데
말이지

기다려 보라니깐!
우린 이 함에
처음 왔다고

그렇지!

안내 표시를
따라 가면
바로 나옵니다!

손을
놔주시겠습니까?

그리고
전 급한 일이
있으니

이거
실례!

어,
어이쿠!

어째서죠?
그 사람은
민간인입니다!

오오?

아차!
지금은
대위
였습니까!

오랜만
입니다.
버닝
중위님!

그렇구나!
보충 요원은
자네들이었나

채프 아델
소위입니다

베르나르도
몬시아 중위

알파 A.
베이트
중위입니다

이 함은
아직 갓 취역해서
번잡스럽지만

잘 부탁
하네!

알비온 함장
시나푸스다

아니, 그게
사정이
조금 바뀌었어

저희
'불사신 제4소대'에
걸리면…

맡겨주십쇼!
'솔로몬의 악몽'이
상대란 말입죠!

마침 테스트 파일럿 결원이 생긴 참이다

뭐, 어쩌다 보니

네?

테스트 파일럿?

우리가?!

바뀌지 않았다니 무슨 의미지? 밀러 소령

음?

사정은 아무것도 바뀌지 않았습니다

2호기 탈환 임무는 아직——…

끝난 것이 아니라는 뜻입니다

아나하임의 오빌이?!

'블라우 엔젤'이 적에게 나포되었단 말인가?!

뭐라고?!

위험한데!

이 기지의 존재가 노출되었다고 판단해야 하나…

넷!

이쪽으로 합류하겠다는 연락 이후 소식 불명입니다!

상황으로 판단해 보면 구속되었다고 보입니다

요격 태세를 강화하고 경계 범위를 넓혀라!

어떻게 해서든 HLV 발사만은 성공시켜야 한다!

옛!

긴급한 요건입니다!

시나푸스 함장님!

드릴 말씀이 있습니다!

무슨 일이지? 퍼플턴 양——...

부당한 구속에 관해서입니다!

저희 회사 엔지니어의

오빌이 무슨 일을 했단 겁니까?!

사법부라니——…

이후에는 사법부에 맡길 거야

놈한텐 더 이상 물어볼 건 없어

그리고 2호기 강탈의 앞잡이를 했지

적인 지온과 내통해서

군의 시제 병기 정보를 누설

아나하임에는 기술 흡수를 위해 지오닉 사에서 많은 기술자를

정보부는 애초부터

아나하임 사원의 간여를 의심하고 있었다

헤드헌팅했던 경위가 있으니까

그런…

어째서입니까?

당분간은 전속하라는 식으로 허가가 떨어졌다

실은 제대를 신청했는데

오랜만에 전장에 나서보고 확실히 알았어

......

1년 전쟁에서 살아남고서는 맥이 풀린 거지

우오오오옹

오?

네 녀석인가? 죽는 것이 무서워 도망쳤다는 놈이!

군대는 내가 있을 곳이 아니라고 말이지

앨런 중위님…

겁쟁이 병에 걸린 놈은 거슬리니까 빨리 함에서 내리라고

알비온의 파일럿은 우리들만으로도 충분하지!

중위님!

그럼 이만...

역시 겁쟁이 병 환자잖아!

뭐야?! 도망치는 거냐

화났나? 그럼 덤벼 봐!

자!

오?

······

사정도 모르면서 말이 지나치지 않습니까?!

음?

아앙?

우라키라고?!

1호기 성능이
어지간히
좋았단 소리겠지

사관학교
갓 나온
신출내기
소위님이란 게
너였냐!

1호기로
가토하고
붙었다는

1호기란 게
저건가

진짜네!
건담입니다

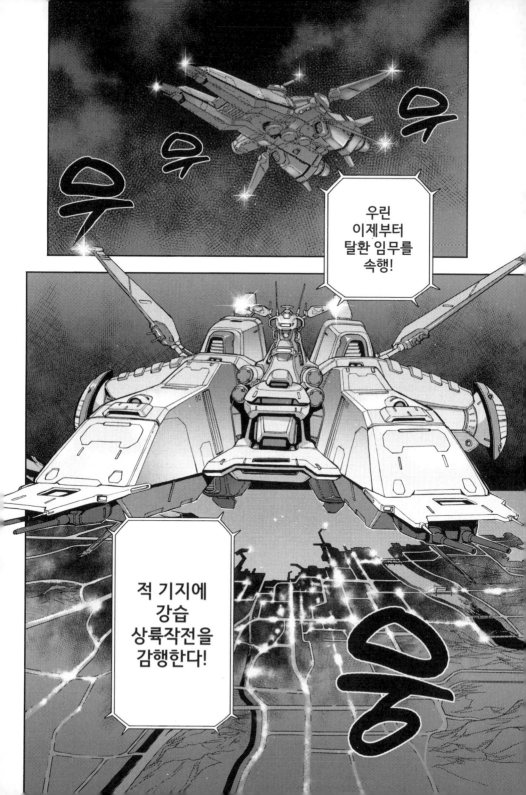

MOBILE SUIT
GUNDAM
0083
REBELLION

켄 씨는 역시 대단 하네요!

NIKOLA

당연하지! 신참내기인 넌 모르겠지만

이 콜로니 공사에서 작업 포드 조종으로 켄을 따라갈 녀석은 없다고!

그건 전쟁 전 이야기겠죠

켄 씨! 1년전쟁 때 지온 MS에 타서 연방군하고 싸웠다는 거 진짭니까?

응?

아아…

이래저래 복잡한 사정이 있어서 말이지

191

끝내주네!
지온 MS인가!

난 아직
지온 군인이야

얼레?
그런데
어째서 다시
콜로니 공사에서
일하고
있는 겁니까?

지온…
공화국군
이지만

군대
관둔
겁니까?

3년 유예
기간이지만
말이지

부상병
대우로
요양 중이라고
되어 있거든

사정을 아는
상관의 주선으로
난 현재는

더글러스
사령관의
——…

3년이라——
앞으로
두 달 있으면
다시 군대로
돌아간다는
겁니까?

낭비라고
하지 마.
중요한 일이야

전쟁에서
살아남아
간신히
가족과
재회할 수
있었다면서…

괜찮습니까?
그렇게
중요한 시간을
이런 일에
낭비하고
말이죠

BORMAN

MOBILE SUIT
GUNDAM
0083
REBELLION

기동전사 건담 0083 REBELLION ④

2017년 6월 30일 초판 1쇄 발행

만화 나츠모토 마사토
원작 토미노 요시유키 · 야타테 하지메
협력 선라이즈

펴낸이 원종우
펴낸곳 길찾기
주소 (13814) 경기도 과천시 뒷골1로 6, 3층
전화 02 3667 2653~4   팩스 02 3667 2655   메일 edit01@imageframe.kr   웹 http://imageframe.kr

ISBN 979-11-6085-042-0 07830 (4권)
가격 8,000원

MOBILE SUIT GUNDAM 0083 REBELLION 4

© Masato Natsumoto 2015
© SOTSU· SUNRISE
First published in Japan in 2015 by KADOKAWA CORPORATION, Tokyo.
Korean translation rights arranged with KADOKAWA CORPORATION, Tokyo.
through CREEK&RIVER Co., Ltd. and Orange Agency

이 책의 한국어판 저작권은 오렌지에이전시와 일본 크릭&리버를 통한 가도카와서점과의 독점 계약으로
(주)이미지프레임이 소유합니다. 저작권법에 의하여 한국 내에서 보호받는 저작물이므로 무단전재와 무단복제를 금합니다.